USEFUL EXPRESSIONS

in PORTUGUESE

FOR THE ENGLISH–SPEAKING TOURIST

Editors: A. Z. Stern — Joseph A. Reif, Ph.D.

 ·K·U·P·E·R·A·

© 1992 KS-JM Books

Distributed in the United Kingdom by:
Kuperard (London) Ltd.
No. 9 Hampstead West
224 Iverson Road
West Hampstead
London NW6 2HL

ISBN 1-870668-77-4

This booklet is an up-to-date and practical phrase book for your trip to Portugal or Brazil. It includes the phrases and vocabulary you will need in most of the situations in which you will find yourself, and it contains a pronunciation guide for all the material. Some of the phrases occur in more than one section so that you do not have to turn pages back and forth. At the beginning is a basic, general vocabulary with which you should become familiar, and at the end is a list of emergency expressions for quick reference.

The pronunciation of Portuguese is fairly simple. Most of the sounds are very similar to English sounds, and you will quickly achieve an easily understandable accent. The transcription should be read as follows:

VOWELS: **a** as in father, but usually shorter

ay as in **day**

e as in **let**, sometimes more like **a** in late

i as in machine when stressed, otherwise as in sing

o as in rope, sometimes like **aw** in saw

u as in **tune**

Nasalized vowels and diphthongs are indicated by **hn** after the vowel: **ohn** like **o** in honk

CONSONANTS: b, d, f, k, l, m, n, p, s, t, v, w, x, y, z, as in English

g as in **give**, not as in **gentle**

r is strongly trilled

zh like **s** in measure

Stressed syllables are indicated in **boldface**.

CONTENTS

BASIC DICTIONARY	VOCABULARIO BÁSICO	VOKABULARIU BAZIKU
Thank you	Obrigado	obriga**dhu**
Thank you very much	Muito obrigado	**muyn**tu obriga**dhy**
Please	Por favor	por fa**vor**
Excuse me	Desculpe	desh**kulpe**
Never mind	Não faz mal	naohn fazh mal
What? What is that?	O quê? O quê é isso?	u kay? u kay eh **is**su?
Where? Where is that?	A onde? A onde é isso?	a **on**de? a **on**de eh **is**su?
When? How?	Cuando? Como?	**kwan**du? **ko**mu?
Which? Why?	Qual? Porquê?	kwal? por**keh**?
Is that?	É?	eh?
That is not	Não é	naohn eh
Yes, no, perhaps	Sim, não, talvez	sihn, naohn, tal**vezh**
Correct, incorrect	Correcto, incorrecto	ku**rrke**tu, ihnku**rre**tu
So so	Assim, assim	a**sihn** a**sihn**
Good, bad	Bom, mau	bohn, **ma**u
Not good, not bad	Não bom, não mau	naohn bohn, naohn mau
There is, there is not (none)	Há, não há	a, naohn a

1

I, you (m.s.) (f.s.)	Eu, tu	eu, tu
He, she	Ele, ela	el, ela
We, you	Nós, vocês	nozh, vosezh
They (m., f.)	Eles, elas	elzh, elazh
Mine, yours	Meu, teu	meu, teu
Ours, theirs	Nosso, deles	nosu, delezh
At my place, at your place	Na minha casa, na tua casa	na minya kaza, na tua kaza
Wet, dry	Molhado, seco	mulyadu, seku
Old, new	Velho, novo	velyu, novu
Pretty, not nice	Bonito, não bonito	bunitu, naohn bunitu
Much, few	Muito pouco	muyntu poku
How many? How much?	Quantos? Quanto?	kwantush? kwantu?
Cheap, expensive	Barato, caro	baratu, karu
Very expensive	Muito caro	muyntu karu
Free (of charge)	Grátis	gratish
More, less	Mais, menos	maish, menush
Cheaper, more expensive	Mais barato, mais caro	maish baratu, maish karu
Heavy, light	Pesado, leve	pezadu, lehve

English	Portuguese	Pronunciation
Now, at the same time as…	Agora, ao mesmo tempo que	agora, ao **mezh**mu **tem**pu ke
During	Durante	du**rante**
Early, late	Cedo, tarde	**se**du, **tarde**
On time, in time	A horas	a o**razh**
Here, there	Aqui, ai	a**ki**, ai
Inside, outside	Dentro, fora	**den**tru, **fo**ra
Up (stairs), down (stairs)	Encima, Embaixo	ehn**si**ma, ehnbaishu
To…	A, para	a, **pa**ra
Near, far	Perto, longe	**per**tu, **lonzhe**
In front of	Em frente de	ihn frent de
Behind (after)	Atrás de	a**trazh** de
Sky	Céu	seu
Sun, moon	Sol, lua	sol, **lu**a
Stars	Estrelas	esh**tre**lash
Light, darkness	Luz, escuridão	luzh, eshkuri**daohn**
Heat, cold, warm	Calor, frio, morno	ka**lor**, **fri**u, **mor**nu
East, west	Este, oeste	esht, wesht
North, south	Norte, sul	nort, sul

3

Rain, snow, wind	Chuva, neve, vento	**shu**va, nev, **ven**tu
Earth, mountain, valley	Terra, montanha, vale	**te**ra, mon**tan**ya, val
River, bridge	Rio, ponte	**ri**u, pohnt
Desert, sand	Deserto, areia	de**zehr**tu, a**re**ya
Sea, water, ship	Mar, agua, navio	mar, **ah**gwa, na**vi**u
Country, place	Pais, lugar	pai**zh**, lu**gar**
City, village	Cidade, aldeia	si**dad**, al**de**ya
Road, street	Caminho, rua	ka**min**yu, **ru**a
House, flat	Casa, apartamento	**ka**za, apart**men**tu
Room, door	Quarto, porta	**kwkar**tu, **por**ta
Key, lock	Chave, fechadura	shav, fesha**du**ra
Wall, window	Muro (parede), janela	**mu**ru (**parehd**), zha**ne**la
Roof, steps	Telhado, escadas	tel**ya**du, esh**ka**dazh
Kitchen, toilet	Cosinha, retrete	ku**zin**ya, re**treht**
Bed, pillows	Cama, almofadas	**ka**ma, almu**fa**dash
Blanket, carpet	Cobertores, tapete	kuber**torsh**, ta**pet**
Wardobe	Guarda-roupa	gwarda**ro**pa
Table, chair	Mesa, cadeira	**me**za, ka**day**ra

Man, woman	Homem, mulher	**o**mehn, mul**yehr**
Father, mother	Pai, mãe	**pai**, **ma**ihn
Son, daughter	Filho, filha	**fil**yu, **fil**ya
Grandson, granddaughter	Neto, neta	**net**u, **net**a
Brother, sister	Irmão, irmã	ir**maohn**, ir**mahn**
Uncle, aunt	Tio, tia	**ti**u, **ti**a
Husband, wife	Esposo, esposa	esh**po**zu, esh**po**za
Boy, girl	Rapaz, rapariga	ra**pazh**, rapa**ri**ga
Old man, old woman	Velho, velha	**vel**yu, **vel**ya
To want	Querer	ke**rehr**
I want, you want	Eu quero, tu queres	eu **ke**ru, tu **kehrsh**
I wanted, you wanted	Eu quiz, tu quiseste	eu **kizh**, tu ki**zesht**
I will want, you will want	Eu quererei, tu quererás	eu kere**ray**, tu kere**razh**
I do not want	Ñao quero	naohn **ke**ru
To visit	Visitar	vizi**tar**
I visit, you visit	Eu visito, tu visitas	eu **viz**tu, tu vi**zi**tazh
I visited, you visited	Eu visitei, tu visitaste	eu vizi**tay**, tu vizi**tasht**
I will visit, you will visit	Eu visitarei, tu visitarás	eu vizita**ray**, tu vizita**razh**

To speak	Falar	falar
I speak, you speak	Eu falo, tu falas	eu **fa**lu, tu **fa**lazh
I spoke, you spoke	Eu falei, tau falaste	eu fa**lay**, tu fa**lasht**
I will speak, you will speak	Eu falarei, tu falarás	eu fala**ray**, tu fala**razh**
I do not speak	Não falo	naohn **fa**lu
To understand	Perceber	per**say**behr
I understand, you understand	Eu percebo, tu percebes	eu per**say**byu, tu per**saybsh**
I understood, you understood	Eu percebi, tu percebeste	eu per**say**bi, tu persay**besht**
I do not understand	Não percebo	naohn per**say**bu
To go	Ir	ir
I go, you go	Vou, tu vais	voh, tu **vai**sh
I went, you went	Eu fui, tu foste	eu **fu**i, tu **fosht**
I will go, you will go	Irei, tu irás	i**ray**, tu i**razh**
I do not go	Não fui	naohn **fu**i
To travel	Viajar	viya**zhar**
I travel, you travel	Eu viajo,tu viajas	eu via**zh**u, atu via**zh**ash
I travelled, you travelled	Eu viajei, tu viajaste	eu via**zhay**, via**zhasht**
I will travel, you will travel	Eu viajarei, tu viajařás	eu viazha**ray**, tu viazha**rash**

I do not travel	Nã viajo	naohn viazhu
To stand	Pôr-se de pé	**por**-se de peh
I stand, you stand	Ponho-me de pé, pões-te de pé	**pon**yu me de peh,
		poynsh-te de peh
I stood, you stood	Puz-me de pé, puzeste-te de pé	puzh me de peh,
		pu**zesht**-te de peh
I do not stand	Não me ponho de pé	naohn me **pon**yu de peh
To sleep	Dormir	dur**mir**
I sleep, you sleep	Durmo, dormes	**dur**mu, dormsh
I slept, you slept	Dormi, dormiste	dur**mi**, dur**misht**
I will sleep, you will sleep	Dormirei, dormirás	durmi**ray**, durmi**razh**
I do not sleep	Não durmo	naohn **dur**mu
To rest	Descansar	deshkan**sar**
I rest, you rest	Eu descanso, tu descansas	**eu** deshkan**su**, tu deshkan**sazh**
I rested, you rested	Eu descansei, tu descansaste	eu deshkan**say**, tu
		deshkan**sasht**
I will rest, you will rest	Eu descansarei, tu descansarás	eu deshkansa**ray, tu**
		deshkansarash

7

I do not rest	Não descanso	naohn desh**kan**su
To eat	Comer	ku**mehr**
I eat, you eat	Eu como, tu comes	eu **ko**mu, tu komsh
I ate, you ate	Eu comi, tu comeste	eu ku**mi,** tu ku**mesht**
I will eat, you will eat	Eu comerei, tu comerás	eu kume**ray**, tu kum**rash**
I do not eat	Não como	naohn **ko**mu
To drink	Beber	be**behr**
I drink, you drink	Eu bebo, tu bebes	eu **beh**bu, tu **beh**besh
I drank, you drank	Eu bebi, tu bebeste	eu be**bi,** tu be**besht**
I will drink, you will drink	Eu beberei, tu beberás	eu behbe**ray**, tu behbe**rash**
I do not drink	Eu náo bebo	eu naohn **beh**bu
To be afraid	Temer	te**mehr**
I am afraid, you are afraid	Eu temo, tu temes	eu **teh**mu, tu temsh
I was afraid, you were afraid	Eu temi, tu temeste	eu te**mi,** tu te**mesht**
I will be afraid	Eu temerei	eu teme**hray**
You will be afraid	Tu temerás	tu teme**hrash**
I am not afraid	Não temo	naohn **teh**mu
Don't be afraid	Não temas	naohn **teh**mash

English	Portuguese	Pronunciation
To hurry	Despachar-se	deshpa**shar** se
I am in a hurry	Eu despaco-me	eu deshpashu me
You are in a hurry	Tu despachas-te	tu desh**pa**shash-te
I hurried, you hurried	Eu despachei-me, tu despachaste-te	eu deshpa**shay** me, tu deshpa**shasht**-te
I will hurry, you will hurry	Eu me despacherei, tu te despacharás	eu me deshpash**ray**, tu te deshpasha**razh**
I am not in a hurry	Não tenho pressa	naohn **tenyu pre**sa
To ask for help	Pedir socorro	pe**dir** su**kor**ru
I ask for help	Peco socorro	**peh**su su**kor**ru
You ask for help	Tu pedes socorro	tu pedsh su**kor**ru
I asked for help	Eu pedi socorro	eu pe**di** su**kor**ru
You asked for help	Tu pediste socorro	tu pe**disht** su**kor**ru
I am not asking for help	Não estou a pedir socorro	naohn shto a pe**dir** su**kor**ru
Passport	Passaporte	pasa**port**
Flight	Vôo	**vo**-u
Outgoing flight	Vôo de partida	**vo**-u de par**ti**da
Following flight	Vôo de chegada	**vo**-u de she**ga**da

9

English	Português	Pronunciation
Flight number	Número do vôo	**nu**meru du **vo**-u
Suitcase	Mala	**ma**la
Customs	Alfândega	al**fan**dega
Money	Dinheiro	din**yay**ru

FIRST MEETING; GREETINGS

	PRIMEIRO ENCONTRO SAUDAÇÕES	**PRIMAYRU** EN**KON**TRU — SAUDA-**SOYNSH**
Hello!	Olá	o**la**
Good morning	Bom dia	bohn **dia**
Good evening	Boa tarde	**bo**a tard
Good night	Boa noite	**bo**a noyt
Welcome!	Bemvindo!	ben**vin**du
My name is ...	Eu chamo-me	eu **sha**mu-me
I am from the United States	Eu sou dos Estados Unidos	eu so dush esh**ta**dush **u**nidush
I speak only English	Só falo inglês	so **fa**lu in**glezh**
I am pleased to meet you	Tenho prazer em conhecê-lo	**ten**yu pra**zehr** ehn kunye**se**-lu
How are you?	Como está?	**ko**mu shta?
Fine, thank you. And how are you?	Bem, obrigado, e você?	behn, obri**ga**du, i vo**se?**

10

How are things?	Como está tudo?	**ko**mu shta **tu**du?
All right	Tudo bem	**tud**u behn
I've come to learn about your country	Vim saber alguma coisa sobre o seu país	vihn sa**behr** al**gu**ma **koy**za sohbr u seu pa-**izh**
I've come on a vacation	Vim de férias	vihn de **fe**riazh
Is there someone here who speaks English?	Há aqui alguem que fala inglês	a aki al**gehn** ke **fa**la in**glezh**
Yes, no	Sim, não	sihn, naohn
I don't speak Portuguese	Não falo portugues	naohn **fa**lu portu**gesh**
I speak English	Falo inglês	**fa**lu in**glezh**
I speak a little	Falo um pouco	**fa**lu uhn **po**ku
Do you understand me?	Você me percebe?	vo**seh** me per**sev?**
I understand a little	Percbo um pouco	per**se**bu uhn **po**ku
Pardon, excuse me	Perdôe-me	per**do**-eh me
I am sorry	Peço desculpa	**pe**su desh**kul**pa
It doesn't matter	Não faz mal	naohn fazh mal
Thank you very much	Muito obrigado	**muyn**tu obri**ga**du
Don't mention it	Não tem de quê	naohn tehn de keh

11

English	Português	Pronunciation
What do you want?	O quê que você quer?	o keh ke voseh kehr?
I would like to visit the city	Eu gostava de visitar a cidade	eu goshtava de vizitar a sidad
Wait a minute!	Espere um momento	eshpehr uhn mumentu
Come with me!	Venha comigo	venya kumigu
I have to leave now	Tenho que me ir embora agora	tenyu ke me ir ehnbora agora
Thank you for your attention	Obrigado pela sua atenção	obrigadu pela sua atensaohn
Good luck!	Boa sorte	boa sort
See you later!	Até à vista	ateh a vishta
Goodbye!	Adeus	ade-ush

HOTEL — HOTEL — OTEL

English	Português	Pronunciation
I am looking for a good hotel	Estou à procura de um bom hotel	shto a prokura de uhn bohn otel
I am looking for an inexpensive hotel	Estou à procura de um hotel barato	shto a prokura de uhn otel baratu
I booked a room here, is it ready?	Reservei um quarto aqui, está pronto?	rezervay uhn kwartu aki, shta prontu?

12

Have you a single room? A double room?	Tem um quarto para uma pessoa? Um quarto de casal?	tehn uhn **kwar**tu **para u**ma **pe**soa?
Have you a better room?	Tem um quarto melhor?	tehn uhn **kwar**tu mel**yor**?
Is the room air-conditioned?	O quarto tem ar condicionado?	u **kwar**tu tehn ar kondisyu**na**du?
Does the room have a shower?	O quarto tem duche?	o **kwakr**tu tehn dush?
With breakfast?	Com pequeno almoço	kom pe**ke**nu al**mo**su
How much is the room?	Qual é o preço do quarto?	kwal eh o **pre**su du **kwar**tu?
I should like to see the room	Eu gostava de ver o quarto?	eu gosh**ta**va de vehr u **kwar**tu?
Do you have something bigger? Smaller? Cheaper? Quieter?	Tem algum quarto maior? Mais pequeno? Mais barato? Menos barulhento?	tehn al**guhn kwar**tu ma-**yor**? **ma**-ish pe**ke**nu? **ma**-ish ba**ra**tu? **men**ush barul**yen**tu?
Will you send for my bags?	Pode mandar trazer as minhas malas?	pod man**dar** tra**zehr** azh **min**yash **ma**lash?
I would like to keep this in the safe	Eu gostava de pôr isto no cofre	eu gosh**ta**va de por **ish**tu nu kofr

English	Portuguese	Pronunciation
Where is the ladies room? The men's room?	A onde é que fica o W.C. para senhoras? O WC para homens?	a **on**de eh ke **fi**ka u vay-say para sen**yo**rash? u vay-say para **o**mehnsh?
Where is the dining room? T.V. Room?	A onde é que fica a casa de jantar? A sala de televisão?	a **on**de eh ke **fi**ka a **ka**za de zhan**tar**? a **sa**la de televi**zaohn**?
Please, wake me at ...	Faça o favor de acordar-me às...	**fa**sa u fa**vor** de akur**dar**-me azh...
Who's there? Please wait! Come in!	Quem é? Espere um momento, por favor! Entre!	kehn eh? esh**pehr** uhn mu**men**tu, por fa**vor**! **en**tre!
May I have another towel?	Pode dar-me outra toalha?	pod **dar**-me **o**tra **twal**ya?
May I have another pillow?	Pode dar-me outra almofada?	pod **dar**-me **o**tra almu**fa**da?
...another blanket?	... outro cobertor?	...**o**tru kuber**tor**?
...hangers?	... cabides?	...ka**bidsh**?
...hot water bottle?	... uma botija de agua quente	...**u**ma bu**ti**zha de **ah**gwa kent?
...night lamp?	... um candieiro	...uhn kan**di**eru?
...needle and thread?	... uma agulha e linha	...**u**ma a**gul**ya e **lin**ya
...writing paper?	... papel de carta	...pa**pel** de **kar**ta?
...pen?	... caneta?	...ka**ne**ta?

English	Portuguese	Pronunciation
Could you cable abroad for me?	Podia mandar um telegrama ao estrangeiro para mim?	pudia mandar uhn telegrama au shtranjeru para mihn?
A vacant room	Um quarto desocupado	uhn kwartu dezokupadu
Receptionist	Recepcionista	resepsyunishta
Chambermaid	Criada de quarto	kriada de kwartu
Security Officer	Agente de segurança	azhent de seguransa
Waiter	Criado de mesa	kriadu de meza
Dining Room	Casa de jantar	kaza de zhantar
Reception Room	Sala de bailes	sala de bailsh
Lift boy (Elevator Boy)	Rapaz do elevador	rapazh du elevador
Room key	Chave do quarto	shav du kwartu
Room number	Número do quarto	numeru du kwartu
Bed	Cama	kama
Blanket	Cobertor	kubertor
Sheet	Lençol	lensol
Men's toilet, ladies' toilet	WC de homens, WC de mulheres	vay-say de omehnsh, vay-say de mulyehrsh
Toilet paper	Papel higiénico	papel izhieniku

INFORMATION AT HOTEL

Is there a taxi station nearby?

What is the telephone number?

How do I get to ...?

By bus? Where is the bus stop?

Where is the nearest post office?

Ladies' hairdresser

Barber

Laundry, shop

Where can I get a snack?

Is there a grocery nearby?

Where is the Tourist Information Office?

INFORMAÇÕES NO HOTEL

Há uma praça de taxis cá perto?

Qual é o número de telefone?

Como chego ao..?

De autocarro? A onde é que fica a paragem?

A onde é que fica o correio mais perto?

Cabeleireiro de senhoras

Barbeiro

Lavandaria, loja

A onde é que posso comer uma refeição leve

Há uma mercearia aqui perto

A onde é que é a Agencia de Informação para turistas?

INFORMASOYNSH NU OTEL

a uma prasa de taxish ka pertu?

kwal eh u numeru de telefone?

komu shegu ao...?

de autokarru? a onde eh ke fika a parazhihn?

a onde eh ke fika u kurre-yo ma-ish pertu?

kabalerayru de sinyorash

barbayru

lavandaria, lozha

a onde eh ke posu kumehr uma refaysaohn leve

a uma mersearia aki pertu

a onde eh ke eh a azhensia de informasaohn para turishtash?

English	Portuguese	Pronunciation
Can I have a program of this week's events?	Pode dar-me um programa dos espectáculos da semana?	**po**de **kar**-me uhn pru**gra**ma dush shpek**ta**kulush da se**ma**na?
How can I get to	Como é que chego a ...?	**ko**mu eh ke **she**gu a ...?
...(on foot?)	... a pé?	...a peh?
...by bus?	... de autocarro?	...de auto**karru**?
...to this address?	... a esta morada?	...a **esh**ta murada?
...to the center of town?	... ao centro da cidade?	...ao **sen**tru da si**da**de?
...to the shopping district?	... ao centro comercial?	...ao **sen**tru komersial?
...to a bookshop?	... à livraria?	...a liv**ra**ria?
...to the market?	... à praça?	...a **pra**sa?
...exhibitions?	... às exposições?	...azh eshpozi**soynsh**?
...to the museum?	... ao museu?	...ao mu**zeu**?
...to the theatre? cinema?	... ao teatro, ao cinema?	...ao te**a**tru, ao **si**nema?
...to a nightclub?	... a uma boite?	...a **u**ma bwat
What plays are running this week?	Que peças de teatro é que estão a dar esta semana?	ke **pe**sash de te**a**tru eh ke shtaohn a dar **esh**ta se**ma**na?

English	Portuguese	Pronunciation
Which films worth seeing are on this week?	Que filmes é que se devem ver esta semana?	ke **fil**mesh eh ke se **dev**ehn vehr **esh**ta se**man**a?
Is there a tennis court nearby?	Há um campo de ténis aqui perto?	a uhn **kam**pu de **ten**ish a**ki per**tu?
Have you got any mail for me?	Tem correio para mim?	tehn kur**ray**-u **pa**ra mihn?
Is there a message for me?	Há algum recado para mim?	a al**guhn** rikadu **pa**ra mihn?
I am going out and will return at ...	Vou sair e volto às...	vo sa-**ir** i **vol**tu azh...
I'll leave the hotel tomorrow at ...	Deixo o hotel amanhã às...	**day**shu u otel aman**yahn** azh...
Please make up my bill	Prepare-me a conta por favor	pre**par**-me a **kon**ta por fa**vor**
May I store my luggage here until ...?	Posso deixar a minha bagagem agui até	**po**su day**shar** a **min**ya ba**ga**zhehn a**ki ateh**
Goodbye	Adéus	a**de**-ush

TAXI

English	Portuguese	Pronunciation
Please call me a taxi	Faça a favor de chamar um taxi para mim	**fa**sa u fa**vor** de sha**mar** uhn **tax**i **pa**ra mihn

English	Portuguese	Pronunciation
Driver, would you please bring my suitcase inside?	Chofer, pode ajudar-me a trazer a minha mala para dentro por favor	sho**fehr**, pod aju**dar**-me a tra**zehr** a **min**ya **ma**la **pa**ra **den**tru por fa**vor**
Take me to this address, please ...	Pode levar-me a esta morada por favor...	pod le**var**-me a **esh**ta mu**ra**da por fa**vor**...
Please drive more slowly	Faça o favor de ir mais devagar	**fa**sa u fa**vor** de ir **ma**ish deva**gar**
How much is the fare?	Quanto é que lhe devo?	**kwan**tu eh ke li **de**vu?
Can you come here at ... in order to take me back?	Pode vir cá às... para levar-me de volta	pod vir ka azh... **pa**ra le**var**-me de **vol**ta

IN THE POST OFFICE

NOS CORREIOS

NUSH KURAY-USH

English	Portuguese	Pronunciation
Where is the post office?	A onde é que fica o correio?	a **on**de eh ke **fi**ka u **ko**ray-u?
Where can I send an overseas cable?	A onde é que posso mandar um telegrama para o estrangeiro?	a **on**de eh ke **po**su man**dar uhn** tele**gra**ma **pa**ra u shtran**ge**ru?

English	Portuguese	Pronunciation
Please, give me an overseas cable form	Dê-me uma folha para telegramas para o estrangeiro, por favor	deh-me uma folya para telegramazh para u shtrangeru, por favor
Have I written the telegram clearly?	Escrivi o telegrama claramente?	eshkrivi u telegrama klarament?
When will the telegram arrive?	Quando é que o telegrama chegará?	kwandu eh ke u telegrama shegara?
How much do I have to pay?	Quanto é que lhe devo?	kwantu eh ke li devu?
What stamps do I need for this letter by ordinary mail?	Que selos é que preciso para mandar esta carta por correio?	ke selush eh ke presizu para mandar eshta karta pur kuray-u?
...by air mail?	... de via aerea?	...de via a-eria?
...by registered mail?	... registada?	...rezhishtada?
...by express delivery?	... expressa?	...eshpresa?
Please send this registered	Mande esta carta registada, por favor	mande eshta karta rezhishtada, por favor
Please give me... postcards to send locally.	Dê-me, por favor... postais para mandar localmente	deh-me, por favor ...pushta-ish para mandar lukalmente

20

English	Portuguese	Pronunciation
Give me airletters to Europe, to America, please	Dê-me aerogramas para a Europa, a America, por favor	deh-me a-erogramash para a europa, a amerika, por favor
Where is the nearest post box?	Qual é a caixa postal mais perto de aqui?	kwal eh a ka-isha pushtal maish pertu de aki?
May I have some telephone tokens, please?	Pode dar-me umas moedas para o telefone por favor	pod dar-me umash muedash para u telefon, por favor
Please, could you get me this number, as I could not get it by dialing?	Faça o favor de obter este número porque não consegui quando o marquei	fasa u favor de obtehr esht numeru purk naohn konsigi kwandu u markay
Please, could you put me through to the international exchange for this number?	Pode ligar-me para o Central Internacional para obterem-me obterem-me este número	pod ligarme para u sentral internasyunal para obterem-me esht numeru
Please book me a call for tomorrow at ...	Reserve-me uma chamada para amanhã as...	rezerv-me uma shamada para amanyahn azh...
I've come for my overseas call, booked for ... (hr.)	Vim fazer a minha chamada, para o estrangeiro que reservei, para as	vihn fazehr a minya shamada para u shtrangeru ke rezervi para azh

I'll be waiting here. Please call me when you get the connection	Fico à espera aqui. Chame-me quando fiser a ligação	fiku a shpera aki. shame-me kwandu fizehr a ligasaohn
How much do I have to pay?	Quanto é que lhe devo?	kwantu eh ke li devu?
Please, may I have a receipt?	Faça o favor de dar-me um recibo	fasa u favor de darme uhn resibu
Thank you. Goodbye	Obrigado e adeus	ubrigadu e ade-ush

IN THE RESTAURANT   NO RESTAURANTE   NU RESHTAURANT

I am hungry	Tenho fome	tenyu fome
I am thirsty	Tenho sede	tenyu sed
Where is there a good restaurant?	A onde é que hà um bom restaurante?	a onde eh ke a uhn bohn reshtaurant?
Waiter	Criado de mesa	kriadu de meza
Waitress	Criada de mesa	kriada de meza
Can I see the menu?	Mostre-me a ementa por favor	moshtre-me a imenta, por favor
Breakfast	Pequeno almoço	pekenu almosu

Lunch	Almoço	almosu
Dinner	Jantar	jantar
I would like to order	Gostava de encomendar / Peço	gushtava de enkomendar / pesu
Give me this	Dê-me isto	deh-me ishtu
Tea with lemon, tea with milk	Chá com limão, chá com leite	sha kohn limaohn, sha kohn lay-it
Coffee and milk	Café com leite.	kafe kohn lay-it
Nescafe and milk	Nescafé com leite	neshkafeh kohn lay-it
Milk, cocoa, espresso	Leite, cacau, café	lay-it, kakao, kafeh
Cold, warm, hot	Frio, morno, quente	friu, mornu, kente
Cold water, soda water	Agua fria, agua mineral	ahgwa fria, ahgwa mineral
Orange juice, grapefruit juice	Sumo de laranja, sumo de toronja	sumu de laranzha, sumu de turonzha
Cake, ice-cream	Bolo, gelado	bolu, zheladu
White beer, black beer	Cerveja branca, cerveja preta	servezha branka, servezha preta
Sweet wine, dry wine	Vinho doce, vinho seco	vinyu dos, vinyu seku

English	Portuguese	Pronunciation
Cognac, whisky, arak	Conhaque, uisque, anis	konyak, wiske, anizh
Buttered roll	Pãozinho com manteiga	paohn-zhinyu kohn mantay-ga
Roll and margarine	Pãozinho commargarina	paohn-zhinyu kohn margarina
White bread, black bread	Pão branco, pão escuro	paohn branku, paohn shkuru
Pita, toast and jam	Pita, torradas com doce	pita, turadash kohn dos
Rolls	Pãozinhos	paohn-zhinyush
Egg, soft-boiled egg	Ôvo, ôvo cozido	ovu, ovu kuzidu
Omelette, fried egg	Omelete, ôvo frito	omlet, ovu fritu
White cheese, yellow cheese	Queijo branco, queijo amarelo	kayju branku, kayju amarelu
Leben, yogurt, sour-cream	Iogurte, natas	yogurt, natash
Sausage, hot dogs	Chouriço, salsichas	shorisu, salsikash
Vegetable salad	Salada de hortaliça	salada de ortalisa
Salt, oil, sugar	Sal, óleo, açucar	sal, olyu, asukar
Pepper, lemon juice	Pimenta, sumo de limão	pimenta, sumu de limaohn
Olives, pickled cucumber	Azeitonas, pepinos em vinagre	azaytonash, pepinush ehn vinager
Herring, pickled fish	Arenque, peixe salgado	arenke, paysh salgadu
Smoked fish, lakerda	Peixe fumado	paysh fumadu

24

English	Portuguese	Pronunciation
Bakala, filleted fish	Bacalhau, filetes de peice	bakalyao, filetsh de paysh
Baked filled carp	Asado, carpa	asadu, karpa
Baked, grilled, boiled	Asado, grelhado, cozido	asadu, grelyadu, kuzidu
Fried, steamed	Frito, cozinhado a vapor	fritu, kuzinyadu a vapor
Chicken, turkey, duck	Galinha, perú, pato	galinya, peru, patu
Beef, lamb	Carne de vaca, carneiro	karne de vaka, karnayru
Liver, tongue	Figado, lingua	figadu, lingwa
Steak, shnitzel	Bife, empanadas	bif, empanadash
Meat balls	Almóndegas	almondegash
Beans soup, vegetable soup	Sopa de feijão, sopa de hortaliça	sopa de fayjaohn, sopa de ortalisa
Chicken soup, meat soup	Canja, sopa de carne	kanja, sopa de karne
Mashed potatoes	Puré de batata	pureh de batata
Chips	Batatas fritas	batatash fritash
Fruit salad	Salada de frutas	salada de frutash
Pudding, Bavaria cream	Pudim, creme Bavaria	pudihn, krem bavaria
Glass, bottle, cup	Copo, garrafa, chávena	kopu, garrafa, shavena
Spoon, fork, knife	Colher, garfo, faca	kulyehr, garfu, faka

English	Portuguese	Pronunciation
Plate, Teaspoon	Prato, colher de cha	**pra**tu, kul**yehr** de sha
Serviette, ashtray	Guardanapo, cinzeiro	gwarda**na**pu, sin**zay**ru
Toothpicks	Palitos	pa**li**tush
How much must I pay?	Quanto é que devo	**kwan**tu eh ke **de**vu
Change and a receipt, please	O troco e um recibo por favor	o **tro**ku i uhn re**si**bu, por fa**vor**

GROCERY

MERCEARIA

MERSIERIA

White bread, brown bread	Pão branco, pão escuro	paohn **bran**ku, paohn **shku**ru
Milk, leben, yogurt	Leite, iogurte	**lay**-it, yo**gurt**
Sour cream, white cheese	Natas, queijo branco	**na**tash, **kay**ju **bran**ku
Yellow cheese, salt cheese	Queijo amarelo, queijo salgado	**kay**zhu ama**re**lu, **kay**zhu sal**ga**du
Butter, margarine, oil	Manteiga, margarina, óleo	man**tay**ga, marga**ri**na, **ol**yu
Sardines, tuna fish, tuna salad	Sardinhas, atúm, salada de atúm	sar**di**nash, a**tuhn**, sa**la**da de a**tuhn**
Olives, eggs	Azeitonas, ovos	azay**ton**ash, **ov**ush
Soup mix	Sopa em pó	**so**pa ehn po

26

English	Portuguese	Pronunciation
Sugar, honey, salt	Açucar, mel, sal	asukar, mel, sal
Preserved meat	Carne em conserva	karne ehn konserva
Laundry soap	Sabão para roupa	sabaohn para ropa
Flour, noodles	Farinha, massas	farinya, masash
Please give me	Dê-me … por favor	deh-me … por favor
How much does it cost?	Quanto é que custa	kwantu eh ke kushta

FRUITS AND VEGETABLES

FRUTAS E LEGUMES

FRUTASH I LEGUMESH

English	Portuguese	Pronunciation
Almonds	Amêndoas	amendwash
Apples	Maçã	masahn
Apricot	Damasco	damashku
Banana	Banana	banana
Beans	Fejão	fayzhaohn
Beetroot	Beterraba	beterraba
Cabbage	Couve	kov
Carrot	Cenoura	senora
Cauliflower	Couveflor	koveflor

Corn	Milho	**mil**yu
Cucumber	Pepino	pe**pi**nu
Dates	Tamaras	**ta**marash
Eggplant	Beringela	berin**zhe**la
Figs	Figos	**fi**gush
Garlic	Alho	**al**yu
Grapefruit	Toronja	tu**ron**ja
Grapes	Uvas	**u**vash
Lemon	Limão	li**maohn**
Lettuce	Alface	al**fas**
Squash	Abóbora	a**bo**bura
Melon	Melão	me**laohn**
Nuts	Nozes	**no**zesh
Onion	Cebola	se**bo**la
Oranges	Laranjas	la**ran**zhazh
Peaches	Pêssegos	**pe**segosh
Pears	Peras	**pe**rash
Peas	Ervilhas	er**vil**yash

Pepper	Pimento	pimentu
Pomegranate	Romã	rumahn
Potatoes	Batatas	batatash
Radish	Rabanete	rabanet
Rice	Arroz	arrozh
Spinach	Espinafre	shpinafre
Tomatoes	Tomates	tumatesh
Watermelon	Melância	melansia

BANK	**BANCO**	**BANKU**
Where is the nearest bank?	A onde é que fica o banco mais proximo	a onde eh ke fika u banku ma-is prosimu
I have dollars to exchange.	Quero trocar dolares	keru trukar dolaresh
Travellers checks	Travellers cheques	travlers sheksh
Will you please change... dollars into local currency for me?	Dê-me dinheiro local para estes dolares	deh-me dinyeru lukal para eshtesh dolaresh

Could I have it in small change, please? ... in large notes?	Dê-me moedas por favor ...em notas grandes	**deh**-me muedash, por fa**vor** ...ehn **no**tash **gran**desh
Could you, please, give me change for this note?	Pode dar-me troco para esta nota, por favor	pod **dar**-me **tro**ku **pa**ra **esh**ta **no**ta, por fa**vor**
Cash, checks	Dinheiro, cheques	din**ye**ru, sheksh
Clerk, manager	Empregado, director	empre**ga**du, dire**tor**
Cash, cashier	Caixa, caixeiro	**ka**-isha, ka-**ish**eru

CLOTHES

I would like to buy...	Eu gostava de comprar...	eu gush**ta**va de kom**prar**...
My size is ... My number is ...	Uso número...	**u**zu **nu**meru...
May I try it on?	Posso experimenta-lo?	**po**su shperimenta-lo?
This is too short, too long	Isto está curto, está comprido	**ish**tu shta **kur**tu, shta kom**pri**du
It is too narrow, too wide	Isto está estreito, está largo	**ish**tu shta **shtray**tu, shta **lar**gu
I would like to have it shortened	Eu gostava que me puzessem a bainha para cima	eu gush**ta**va ke me pu**ze**sehn a ba-**in**ya **pa**ra **si**ma

ROUPA
ROPA

30

A pair of shorts	Calções	kal**soynsh**
A pair of trousers	Calças	**kal**sash
Boots	Botas	**bo**tash
Brassiere	Soutien	sut**yahn**
Button	Botão	but**aohn**
Cape	Capa	**ka**pa
Coat	Casaco	ka**za**ku
Collar	Gola	**go**la
Cotton material	Tecido de algodão	te**si**du de algu**daohn**
Dress	Vestido	vesh**ti**du
Gloves	Luvas	**lu**vash
Hat	Chapéu	sha**peu**
Handkerchief	Lenço	**len**su
Jacket	Casaco	ka**za**ku
Ladies handbag	Mala de senhora	**ma**la de sen**yo**ra
Leather	Cabedal	kabe**dal**
Linen	Linho	**lin**yu
Nylon stockings	Meias de nylon	me-**i**yash de 'nylon'

Night shirt	Camisa de dormir	kamiza de durmir
Pocket	Algibeira	alzhibayra
Pantyhose	Collants	kolan
Pajamas	Pijámas	pizhamash
Raincoat	Impermeável	impermiavel
Robe	Robe	rob
Rubber boots	Botas de borracha	botash de burrasha
Sandals	Sandálias	sandalyash
Scarf	Cachecol	kakshkol
Scissors	Tesouras	tezorash
Shoe laces	Atacadores	atakadorsh
Shoes	Sapatos	sapatush
Silk	Seda	seda
Skirt	Saia	sa-iya
Skullcap	Barrete	barrete
Slippers	Chinelas	shinelash
Sports shoes, sneakers	Sapatos de ginástica	sapatush de zhinashtika
Stockings	Meias	me-iyash

Sweater	Pulóver	pulover
Swimsuit	Fato de banho	**fatu** de **banyu**
Suit	Fato	**fatu**
Synthetic material	Pano sintético	**panu** sintetiku
Belt	Cinto	**sin**tu
Tie	Gravata	gra**vata**
Umbrella	Chapéu de chuva	sha**peu** de **shuva**
Underpants	Cuecas	**kwe**kash
Velvet	Veludo	velu**du**
Undershirt	Camisa interior	ka**miza** inter**yor**
Woolen material	Fazenda de lã	fa**zen**da de lahn
Zipper	Fecho	**fe**shu

COLORS

I want a light shade,
    dark shade

Red, yellow

CORES

Quero uma cor clara, uma cor
    escura

Vermelho, amarelo

KORESH

keru uma kor **klara, uma**
    kor **shkura**

ver**melyu**, amarelu

33

Green, blue	Vaerde, azul	**ver**d, a**zul**
Purple, gray	Roxo, cinzento	**ro**shu, sin**zen**tu
Black, white	Preto, branco	**pre**tu, **bran**ku
Brown, pink	Castanho, cor de rosa	kash**tan**yu, kor de **ro**za

LAUNDRY	**LAVANDARIA**	LAVANDARIA
Could you please clean my suit?	Pode limpar-me o fato, por favor?	pod lim**par**-me u **fa**tu, por fa**vor**?
Coat, sweater	Casaco, pulóver	ka**za**ku, pulover
Please, could you wash and iron the shirts and underwear for me?	Faça o favor de lavar e engomar as minhas cámisas e roupa interior	**fa**sa u fa**vor** de la**var** i engu**mar** ash **min**yash ka**mi**zash i **ro**pa inter**yor**
When will they be ready for me?	Quando é que estarão prontos?	**kwand**u eh ke shta**raohn pron**tush?
Please, also do any necessary repairs	Faça o favor de fazer os remendos, se fôr preciso	**fa**sa u fa**vor** de fa**zehr** ush re**men**dush, se for pre**si**zu
The belt of the dress is missing	Perdeu-se o cinto dovestído	per**deu**-se u **sin**tu du vesh**ti**du

AT THE HAIR DRESSER	NO CABELEIREIRO	NU KABALERAYRU
I want to get a hair cut	Quero que me corte o cabelo	keru ke me korte u kabelu
In front, on the sides, behind	À frente, nos lados, atrás	a frent, nush ladush, atrash
Shorter, longer	Mais curto, mais comprido	ma-ish kurtu, ma-ish kompridu
Side locks, beard, moustache	Patilhas, barba, bigode	patilyash, barba, bigod
How long must I wait?	Quanto tempo é que devo esperar?	kwantu tempu eh ke devu shprar?
A short while, a long time	Pouco tempo, muito tempo	poku tempu, muyntu tempu
I want a shampoo, please	Lave-me a cabeça, por favor	lave-me a kabesa, por favor
The water is too hot	A agua está muito quente	a ahgwa shta muyntu kent
I want a shave	Quero que me faça a barba	keru ke me fasa a barba
Be careful here!	Tenha cuidado aqui	tenya kwidadu aki
I want my hair dyed	Quero tingir o cabelo	keru tinzhir u kabelu
I want my hair set	Quero fazer uma mise	keru fazehr uma miz
Pedicure, manicure	Pedicura, manicura	pedikura, manikura

BOOKSHOP	**LIVRARIA**	LIVRARIA
I would like to buy ...	Eu queria comprar...	eu ke**ri**a kom**prar**...
...a newspaper	... um jornal	...uhn **zhur**nal
...a magazine	... uma revista	...**um**a re**vish**ta
...a guidebook	... um guia	...uhn **gia**
...a map of the city	... um mapa da cidade	...uhn **ma**pa da si**dad**
...a map of the country	... um mapa do país	...**uhn ma**pa du pa-**izh**
...envelopes	... envelopes	...**envelop**esh
...a writing pad	... um bloco de cartas	...uhn **blo**ku de **kar**tash
...an exercise book	... um caderno	...uhn ka**der**nu
...a pencil	... um lápis	...uhn **la**pizh
...a fountain pen	... uma caneta	...**um**a ka**ne**ta
...a ballpoint pen	... uma esferográfica	...**um**a shfero**gra**fika

THE WEATHER	**OTEMPO**	U **TEMPU**
What a beautiful day!	Que dia tão bonito!	ke **di**a taohn bu**ni**tu!
Bright, the sun is shining	Claro, o sol esta a brilhar	**kla**ru, u sol shta a bril**yar**
Warm, hot, very hot	Está calor, muito calor	shta ka**lor**, **muyn**tu ka**lor**

36

Chilly, cold, very cold	Fresco, frio, muito frio	**fresh**ku, **friu**, **muyn**tu **friu**
Dry, heat wave	Seco, onda de calor	**seku, on**da de **k**a**lor**
Damp, drizzle	Húmido, chuvisco	**umi**du, shu**vish**ku
It is raining	Está a chover	shta a shu**vehr**
Cloudy, foggy	Nublado, enovoado	nu**bla**du, enuv**wa**du
To wear a warm coat	Usar um casaco pesado	u**zar** uhn **k**a**z**aku pe**z**adu
Raincoat, cape	Impermeável, capa	impermiavel, **k**apa
Rubber boots	Botas de borracha	**bo**tash de bur**rash**a
To taken umbrela, parasol	Levar um chapéu de chuva,	le**var** uhn sha**peu** de **shu**va,
	uma sombrinha	**u**ma som**brin**ya

TRANSPORT

TRANSPORTE

TRANSH**PORT**

Bus, train, plane	Autocarro, comboio, avião	aota**kar**ru, kom**boy**u, aviao**hn**
Underground, express train	Metro, comboio rápido	**met**ru, kom**boy**u **rap**idu
Ticket, ticket office	Bilhete, bilheteira	bil**yet**, bilye**tayr**a
Driver, steward, stewardess	Condutor, hospedeiro,	kondu**tor**, oshpe**dayr**u,
	hospedeira	oshpe**dayr**a
Load/luggage, porter	Carga/bagagem, carregador	**kar**ga / baga**zhehn** karrega**dor**

37

English	Portuguese	Pronunciation
Where is the lost baggage office?	A onde e que fica o achados e perdidos	a onde eh ke fika u ashadush i perdidush
I left ... in the coach	Deixei... no autocarro	dayshay ... nu aotokarru

TRAIN / **COMBOIO** / KOMBOYU

English	Portuguese	Pronunciation
When does the train for ... leave?	Quando é que sai o comboio para...	kwandu eh ke sa-i u komboyu para...?
How do I get there?	Como é que chego lá?	komu eh ke shegu la?
By train, bus, underground (Subway)	De comboio, autocarro, metro	de komboyu, aotokarru, metru
Where is the ticket office?	A onde é que é a bilheteira?	a onde eh ke a bilyetayra?
At what time does the next train leave for ...?	A que horas é que sai o proximo comboio para?	a ke orash eh ke sa-i u prosimu komboyu para...?
Give me a ticket for ... please	Dê-me um bilhete para...	deh-me uhn bilyet para...
If possible, by the window and facing the front	Ao pé da janela, e virado para a frente, se possivel	ao peh da zhanela, i viradu para a frent, se pusivel
Where can I find a porter?	A onde é que há um carregador?	a onde eh ke a uhn karregador?

English	Portuguese	Pronunciation
Please, take the bags to the coach	Leve a bagagem para o autocarro, por favor	lev a`bagazhehn para u aotokarru por favor
Where is the dining coach?	A onde é que fica o wagon-restaurante?	a onde eh ke fida u vagohn-reshtaurant?
May I open (close) the window?	Posso abrir (fechar) a janela	posu abrir (feshar) a zhanela?
May I smoke?	Posso fumar	posu fumar?
When does the train arrive at?	Quando é que o comboio chega a...?	kwandu eh ke u komboyu shega a...?
What bus goes to...?	Que autocarro é que vai para...?	ke aotokarru eh ke va-i para...?
Where is the bus to ...?	A onde é que se apanha o autocarro para?	a onde eh ke se apana u aotokarrupara...?
How much is a ticket to ...?	Quanto é que custa a viagem...?	kwantu eh ke kushta a viazhehn...?
Is this the bus to ...?	É este autocarro que vai para...?	eh esht u aotokarru ke va-i para...?
I am looking for this address.	Estou procurando esta morada	shto prokurandu shta murada
At which station do I get off?	Em que estação é que desco?	ehn ke shtasaohn eh ke deshku?

39

AIRPLANE	AVIÃO	AVIAOHN
By which means of transport do I get to the airport?	Que transporte é que há para o aeroporto?	ke transhport eh ke a para u a-eroportu?
Is there a bus service (taxi) to there?	Há um autocarro (taxi) para lá?	a uhn aotokarru (taxi) para la?
At what time will I be picked up?	A que horas é que me veem buscar?	a ke orash eh ke me ve-ehn bushkar?
Which is the nearest bus stop to the airport?	A onde é que é a paragem mais perto para o aeroporto?	a onde eh ke eh parazhehn ma-ish pertu para u a-eroportu?
At what time should I be there?	A que horas é que devo estar la?	a ke orash eh ke devu shtar la?
At what time does the plane take off?	A que horas é que parte o avião?	a ke orash eh ke parte u aviaohn?
When will it arrive?	A que horas é que chega?	a ke orash eh ke shega?
Is there a flight to?	Há um vôo para	a uhn vo-u para...?
What is the flight number?	Qual é o número do vôo	kwal eh u numeru du vo-u?
I have nothing to declare	Não tenho nada para declarar	naohn tenyu nada para deklarar

40

This is all I have	Isto é tudo o que eu levo	**ish**tu eh **tu**du u ke eu **le**vu
Please, take my luggage	Leve a minha bagagem, por favor	lev a **min**ya baga**zhehn**, por fa**vor**
May I have a travel sickness pill, please?	Dê-me um comprimido contra enjôo por favor	**deh**-me uhn komprimidu **kon**tra enzho-u, por fa**vor**
May I have a glass of water?	Dê-me um copo de agua, por favor	**deh**-me uhn **ko**pu de **ah**gwa, por fa**vor**

CAR JOURNEY

VIAGEM DE CARRO

VIAZHEHN DE KARRU

Where can I rent a car?	A onde é que posso alugar um carro?	a **on**de eh ke **po**su alu**gar** uhn **kar**ru?
I have an international driving license	Tenho uma carta de condução internacional	**ten**yu **u**ma **kar**ta de kondu**saohn** internasyu**nal**
How much is it to rent a car per day?	Quanto é que sai o aluguel do carro por dia?	**kwan**tu eh ke **sa**-i u alu**gel** du **kar**ru pur **dia**?
What is the additional rate per kilometer?	Quanto é o extra por kilometro?	**kwan**tu eh u **esh**tra pur kilometru?

English	Portuguese	Pronunciation
Where is the nearest petrol (gas) station?	A onde é que fica a bomba de gasolina mais perto	a **ond**e eh ke **fik**a a **bomb**a de gazulina **ma**-ish **pert**u?
Please, put in … liters	Deite …. litros por favor	**day**-it … **litrush** por fa**vor**
Check the oil, please	Verifique o óleo por favor	veri**fik** u **ol**yu por fa**vor**
…the brakes	… os travões	…ush tra**voynsh**
…the gear box	… a caixa de velocidades	**…a ka**-isha de velosi**dadesh**
Please put water in the battery; radiator	… ponha agua na bateria, no radiador	**…ponya ah**gwa na bate**ria**, nu radia**dor**
Change the oil in the car, please	Ponha óleo no carro, por favor	**pon**ya **ol**yu nu **karr**u, por fa**vor**
May I have a road map of the area?	Faça o favor de dar-me um mapa da região	**fasa** u fa**vor** de **kar**-me uhn **mapa** da rezhia**ohn**
Please, inflate the tires, the reserve wheel too	Encha os pneus e a roda de reserva, por favor	**ensha** ush pneush i a **roda** de re**zerva**, por fa**vor**
Please, change the inner tube, the tire	Mude o tubo interior, o pneu	mud u **tubu** inter**yor**, u pneu
Please, repair the puncture	Arrange o furo	arr**anzh** u **furu**
What is the speed limit?	Qual é a velocidade máxima	kwal eh a velosi**dad ma**sima?

English	Portuguese	Pronunciation
Which is the way to …?	Como é que se vai para	komu eh ke se va-i para…?
Is that a good road?	É um bom caminho?	eh uhn bohn kaminyu?
Is there a shorter way?	Há outro mais curto?	a otru ma-ish kurtu?
Which place is this?	Que lugar é este?	ke lugar eh esht?
Is this the road to …?	Este é o caminho para…?	esht eh u kaminyu para…?
Yes, no	Sim, não	sihn, naohn
Please, go back	Volte para trás, por favor	volt para trazh, por favor
Go straight on	Continue	kontinu
Turn to the right (left)	Vire para a direita (a esquerda)	vir para a dirayta (a shkerda)
Turn to the north, (south, east, west)	Vire para o norte (o sul, o leste, o oeste)	vir para u nort (u sul, u lesht, u wesht)
This way	Por aqui	pur aki
That way	Por aí	pur a-i
How far is it to …?	Qual é a distancia para…?	kwal eh a dishtansia para…?
Is it near? (far?)	Fica perto (longe)?	fika pertu (lonzh)?
Very far?	Muito longe	muyntu lonzh
There, here	Lá, aqui	la, aki

Please, show me on the map	Mostre-me no mapa	moshter-me nu mapa
Where are we?	A onde é que estamos?	a onde eh ke shtamush?
Where is the place that we want to go to?	A onde é que fica o lugar onde queremos ir?	a onde eh ke fika u lugar onde keremush ir?
On which road should we travel?	Que caminho é que devemos levar?	ke kaminyu eh ke devemush levar?

TRAFFIC SIGNS

SINAIS DE TRÁNSITO

SINA-ISH DE TRANZITU

Stop!	Pare!	par!
Caution!	cuidado!	kwidadu!
Dangerous curve	Curva perigosa	kurva perigoza
Slow!	Devagar	devagar
Danger!	Perigo!	perigu!
First Aid	Primeiros Socorros	primayrush sukorrush
Red Cross	Cruz Vermelha	kruzh vermelya
Pharmacy	Farmácia	farmasia
Police	Polícia	polisia
Bomb disposal pit	Cova para explosivos	cova para eshplusivush

44

Fire hydrant	Boca de incêndio	**bok**a de in**sen**diu
No parking	Proibido estacionar	prui**bi**du shtasyu**nar**
No entry	Proibida a entrada	prui**bi**da a en**tra**da
No crossing	Proibido atravesar	prui**bi**du atrave**sar**
One-way Street	Caminho de sentido unico	ka**min**yu de sen**ti**do **u**niku
Pedestrian crossing	Passagem de peões	pa**sazhe**hn de pi**oynsh**
Detour	Desvio	dezh**viu**
Men at work	Obras	**obr**ash
Right	Direita	di**ray**ta
Left	Esquerda	esh**ker**da
Entrance	Entrada	en**tra**da
Exit	Saida	sa-**i**da
No Smoking	Proibido fumar	prui**bi**du fu**mar**
Information	Informações	infurma**soynsh**
Elevator	Elevador	elva**dor**
Restrooms	Casa de banho	**ka**za de **ban**yu
Men	Homens	o**mehn**sh
Woman	Mulher	mul**yehr**

For sale	A venda	a **ven**da
For rent	Para alugar	**pa**ra alu**gar**
Travel on this road	Leve este caminho	lev esht ka**min**yu
Travel slowly	Devagar!	deva**gar**!
Take care	Cuidado!	kwi**da**du!
Crossroad, junction, bridge	Passagem, cruzamento, ponte	pasa**zheh**n, kruza**men**tu, pont
Highway, dual highway	Estrada, estrada de dois sentidos	**shtra**da, **shtra**da de doysh **sen**tidush
Bad road	Caminho em mau estado	ka**min**yu ehn mao **shta**du
Narrow road	Caminho estreito	ka**min**yu **shtray**tu
Road under repair	Caminho em obras	ka**min**yu ehn **ob**rash
Dirt road	Caminho, de terra	ka**min**yu de **ter**ra
Steep incline	Subida íngreme	su**bi**da **ing**rem
Steep decline	Descida íngreme	de**shi**da **ing**rem
Sharp turn	Curva aguda	**kur**va a**gu**da
Blinding light	Luz ofuscante	luzh ofush**kant**
Children on the road	Crianças na estrada	kri**an**sash na **shtra**da

GARAGE	GARAGEM	GARAZHEHN
Where is a garage nearby?	A onde é que há uma garagem aqui perto?	a onde eh ke a uma garazhehn aki pertu?
Please, check and adjust the brakes	Veja e arrange os travões	vezha eh arranzhe ush travoynsh
Please, check the gearbox and adjust the clutch	Verifique a caixa de velocidades e arrange a embraiagem	verifik a ka-isha de velosidadesh i arranzhe a ehnbra-iazhehn
The engine uses too much oil	O motor está a consumir muito óleo	u mutor shta a konsumir muyntu olyu
The engine is overheating	O motor está a aquecer demais	u mutor shta a akesehr dema-ish
The radiator needs refilling too often	O radiador precisa de ser enchido demais	u radiador presiza de sehr enshidu dema-ish
Please, check the plugs	Verifique a ignição	verifik a ignisaohn
Please, check the points	Verifique as agulhas	verifik ash agulyash
The car doesn't start well	O carro não arranca	u karru naohn arranka
Please, check the headlight alignment	Verifique os faróis	verifik ush faroysh

REPAIRS	ARRANJOS	ARRANZHUSH
Wheel balance	Equilíbrio das rodas	ikilibriu dash rodash
Oil change	Mudança de óleo	mudansa de olyu
Tighten screws	Apertar os parafusos	apertar ush parafuzush
Fill the radiator	Encher o radiador	enshehr u radiador
Oil the engine	Lubrifiquar o motor	lubrifikar u mutor
Wheel alignment	Arranjar as rodas	arranzhar ash rodash
Water for the battery	Agua para a bateria	ahgwa para a bateria
	A embraiagem está presa	a ehnbra-iazhehn shta preza
The gear is stuck	A embraiagem não está a	a ehnbra-iazhehn naohn shta
...coughing	funcionar bem	a funsiunar behn
The oil is leaking	Está a deitar óleo	shtar a daytar olyu
The part is burnt out	Essà parte queimou-se	esha part ke-imo-se
To take a wheel apart	Desmanchar uma roda	deshmanshar uma roda
Short circuit	Curto circuito	kurtu sirkuytu
The steering wheel is loose	O volante está folgado	u vulant shta folgadu
The axle rod is broken	A vara do eixo está partida	a vara du ayshu shta partida
Puncture in the tire	Ha um furo no pneu	a uhn furu nu pneu
Everything is O.K.	Está tudo bem	shta tudu behn

48

PARTS OF A CAR	PARTES DO CARRO	PARTESH DU KARRU
Battery	Bateria	bateria
Brakes	Travões	travoynsh
Carburetor	Carburador	karburador
Clutch	Embraiagem	ehnbra-iazhehn
Distilled water	Agua destilada	ahgwa deshtilada
Filter	Filtro	filtru
Gear	Engrenagem	ehngrenazhehn
Ignition	Ignição	ignisaohn
Lubrication	Lubrificação	lubrifikisaohn
Pedal	Pedal	pedal
Piston	Pistão	pistaohn
Radiator	Radiador	radiador
Spark plugs	Vela de ignição	vela de ignisaohn
Spring	Mola	mola
Steering wheel	Volante	vulant
Wheel, wheels	Roda, rodas	roda, rodash

PHYSICIANS	**MEDICOS**	MEDIKUSH
Where does an English speaking doctor live?	A onde é que há um médico que fala inglês?	a onde eh ke a uhn mediku ke fala inglesh?
I need first aid	Preciso de primeiros socorros	presizu de primayrush sukorrush
I need an internal specialist	Preciso de um especialista de doenças intérnas	presizu de uhn shpesialishta de duensash internash
Can you recommend a good doctor?	Pode recomendar um bom médico?	pod rekumendar uhn bohn mediku?

TYPES OF DOCTORS	**TIPOS DE MEDICOS**	TIPUSH DE MEDIKUSH
Ear, nose and throat specialist	Otorrinolaringologista	otorrinu-laringu-lozhishta
Orthopedist	Ortopédico	ortopediku
Surgeon	Cirurgião	sirurgiaohn
Pediatrician	Pediátra	pediatra
Gynecologist	Ginecólogo	zhinekolugu
Dermatologist	Dermatólogo	dermatolugu

English	Português	Duensash
Eye specialist	Oftalmólogo	oftal**mo**lugu
Neurologist	Neurólogo	neu**ro**lugu
Internal specialist	Especialista de doenças internas	shpesia**lish**ta de du**en**sash inter**nash**
Dentist	Dentista	den**tish**ta

ILLNESSES · DOENÇAS · DUENSASH

I have no appetite	Não tenho apetite	naohn **ten**yu ape**tit**
Nausea	Enjôo	en**zho**-u
Infection	Infecção	infe**saohn**
Depression	Depressão	depre**saohn**
Cold	Constipação	konshtipa**saohn**
Vomiting	Vómitos	**vo**mitush
Pregnancy, pregnant	Gravidez, gravida	gravi**dezh**, **gra**vida
Contraction	Contração	kontra**saohn**
Heart patient	Doente cardíaco	du**en**te kar**di**aku
Fever	Febre	**feb**re

PARTS OF THE BODY	PARTES DO CORPO	PARTESH DU KORPU
Ankle, appendix	Tornozelo, apéndice	turnuzelu, apendis
Arm, artery	Braço, arteria	brasu, arteria
Back, bladder	Costas, bexiga	koshtash, beshiga
Blood, bone	Sangue, osso	sang, osu
Breast, chest	Peito	pe-itu
Ear, elbow	Orelha, cotovelo	orelya, kutuvelu
Eye, eyes	Olho, olhos	olyu, olyush
Finger	Dedo	dedu
Foot, feet	Pé, pés	peh, pesh
Gland	Glándula	glandula
Hand, head	Mão, cabeça	maohn, kabesa
Heart, heel	Coração. calcanhar	kurasaohn, kalkanyar
Hip, intestine	Ancas, intestinos	ankash, inteshtinush
Joints, kidney	Articulação, rim	artikulasaohn, rihn
Knee, leg	Joelho, perna	zhuelyu, perna
Ligament, liver	Ligamento, figado	ligamentu, figadu
Lungs, mouth	Pulmões, boca	pulmoynsh, boka

English	Portuguese	Pronunciation
Muscle, neck	Músculo, pescoço	**mush**kulu, **pesh**kosu
Nerve, nerves	Nervo, nervos	**ner**vush
Nose	Nariz	na**rizh**
Palm	Palma	**pal**ma
Ribs, shoulder	Costelas, ombro	kush**te**lash, **om**bru
Skin, spine	Pele, espinha dorsal	pel, **shpin**ya dur**sal**
Stomach, throat	Estômago, garganta	**shto**magu, gar**gan**ta
Thumb, tongue	Polegar, lingua	pul**gar, ling**wa
Tooth, Teeth	Dente, dentes	dent, **den**tesh
Tonsil	Amígdala	a**mig**dala
Urine, vein	Urina, veia	u**ri**na, **vay**-a

PHARMACY

Where is the nearest
   pharmacy?

Which pharmacy is on duty
   tonight?

FARMACIA

A onde é que fica a farmácia
   mais perto?

Que farmácia está de serviço
   esta noite?

FARMASIA

a **on**de eh ke **fi**ka a far**ma**sia
   ma-ish **per**tu?

ke far**ma**sia **sh**ta de ser**vi**su
   eshta noyt?

53

English	Portuguese	Pronunciation
Have you a medicine for a headache?	Tem algum remedio para dores de cabeça?	tehn al**guhn** remediu para **dorsh de kabe**sa
Toothache	Dor de dentes	dorsh de **dent**esh
Iodine, aspirin	Tintura de iódo, aspirina	tin**tura** de iodo, ashpi**rina**
Valerian drops	Gotas de valeriana	**go**tash de valeriana
Antiseptic cream	Creme antiséptica	krem anti**sep**tika
Hot water bottle	Botija de agua quente	bu**ti**zha de **ah**gwa kent
Heating pad	Almofada eléctrica	almu**fa**da i**lek**trika
Cottonwool, band-aid	Algodão, adesivo	algu**daohn**, ade**zi**vu
Thermometer	Termómetro	ter**mo**metru
I need first aid	Preciso de primeiros socorros	pre**si**zu de pri**may**rush su**kor**rush
What are his office hours?	Quais são as horas de comsulta dele?	**kwish** saohn ash **o**ras de kon**sul**ta del

TIME   AS HORAS   ASH ORASH

English	Portuguese	Pronunciation
What is the time? It is four o'clock	Que horas são? São as quatro	ke **o**rash saohn? saohn ash **kwa**tru

English	Português	Pronunciation
Five minutes past six, half past five	Seis e cinco, cinco e meia	se-ish i **sinku**, **sinku** i **may**-a
A quarter past seven, ten minutes to eight	Sete e um quarto, dez para as oito	set i uhn **kwar**tu, dezh **para** ash **oy**tu
Morning	A manhã	a man**yahn**
Midday, afternoon	O meio-dia, a tarde	u **may**-u **di**a, a tard
Evening, night	A noite	a noyt
Midnight	Meia-noite	**may**-a noyt
Today	Hoje	ozh
Yesterday	Ontem	**on**tehn
The day before yesterday	Ante-ontem	ant-**onte**hn
Tomorrow	Amanhã	aman**yahn**
The day after tomorrow	Depois de amanhã	de**poysh** de aman**yahn**
A second, hour	Um segundo, uma hora	uhn se**gun**du, **u**ma **o**ra
Quarter of an hour	Um quarto de hora	uhn **kwar**tu de **o**ra
Half an hour	Meia hora	**may**-a **o**ra
Forty minutes	Quarenta minutos	kwa**ren**ta mi**nu**tush
Day, days	Dia, dias	**di**a, **di**ash

Week, weeks	Semana, semanas	semana, semanash
Month, months	Mês, meses	mezh, mezhesh
Year, years	Ano, anos	anu, anush
Period of ... years	Um período de ... anos	uhn periudu de ... anush
In a month	Num mês	nuhn mezh
Early, I am early	Cedo, cheguei adiantado (a)	sedu, shegay adiantadu (a)
Late, I am late	Tarde, cheguei atrasado (a)	tard, shegay atrazadu (a)

DAYS OF THE WEEK

DIAS DA SEMANA

DIASH DA SEMANA

Sunday, Monday	Domingo, Segunda-feira	dumingu, segunda fayra
Tuesday, Wednesday	Terça-feira, quarta-feira	tersa-fayra, kwarta-fayra
Thursday, Friday	Quinta-feira, sexta-feira	kinta-fayra, seshta-fayra
Saturday	Sábado	sabadu

MONTHS

MESES

MEZESH

January, February	Janeiro, fevereiro	zhanayru, feverayru
March, April	Março, abril	marsu, abril
May, June	Maio, junho	ma-iyu, zhunyu

July, August	Julho, agosto	**zhul**yu, **agosh**tu
September, October	Setembro, outubro	se**tem**bru, o**tu**bru
November, December	Novembro, dezembro	nu**vem**bru, de**zem**bru

SEASONS

AS ESTAÇÕES DO ANO

ASH ESHTA**SOYNSH**
DU ANU

| Spring, summer | Primavera, verão | prima**ve**ra, ve**raohn** |
| Autumn, winter | Outono, inverno | o**to**nu, in**ver**nu |

NUMBERS

NUMEROS

NUME**RUSH**

One, two	Um, dois	uhn, doysh
Three, four	Tres, quatro	trezh, **kwat**ru
Five, six	Cinco, seis	**sin**ku, saysh
Seven, eight	Sete, oito	**seh**te, **oy**tu
Nine, ten	Nove, dez	**no**ve, desh
Eleven, twelve	Onze, doze	**ohn**-ze, **do**ze
Thirteen, fourteen	Treze, catorze	**tre**ze, k**ator**ze

English	Portuguese	Pronunciation
Fifteen, sixteen	Quinze, dezasseis	**kihn**ze, deza-**saysh**
Seventeen, eighteen	Dezasete, dezoito	**deza**-**seh**te, dezoytu
Nineteen, twenty	Dezanove, vinte	deza-**nove**, **vihn**te
Twenty-one, twenty-two	Vinte e um, vinte e dois	**vihn**ti-uhn, **vihn**ti-**doysh**
Thirty, forty	Trinta, quarenta	**trihn**ta, kwa**ren**ta
Fifty, sixty, seventy	Cinquenta, sessenta, setenta	sin**kwen**ta, se**syen**, se**tyen**ta
Eighty, ninety, one hundred	Oitenta, noventa, cem	oy**ten**ta, nu**ven**ta, sehn
One hundred and one	Cento e um	**sen**to i uhn
Two hundred	Duzentos	du**zhen**tush
One thousand	Mil	mil
One thousand and one	Mil e um	mil i uhn
Two thousand	Dois mil	doysh mil
Two thousand and one	Dois mil e um	doysh mil i uhn
One million	Um milhão	uhn mil**yaohn**
One billion	Mil milhão	mil mil**yaohn**

EMERGENCY EXPRESSIONS	ESPRESSAO URGENTE	ESPRESSAOHN URZHENTE
Help!	Socorro!	sukorru!
Stop, thief!	Páre o ladrão!	pare u ladraohn!
Don't touch me!	Não toca em min!	naohn toka ehn mihn!
Leave me alone!	Deice-me só!	dayshe-me so!
Call the police!	Chame a polícia!	shame a polisia!
I've lost my way.	Estou perdido. (a)	eshto perdidu (a).
Call me a taxi please	Chame-me um taxi, por favor	shame-me uhn taxi, por favor.
Take me to this address.	Leve-me a esta morada.	lev-me a eshta murada
I don't feel well.	Estou doente.	eshto duente
Call a doctor!	Chame um médico!	shame uhn mediku!
Take me to a first-aid station.	Chame-me a um preciso de primeiros socorros.	shama-me a uhn presizu de primayrush sukorrush.
Take me to the hospital.	Chame-me a um hospital.	shame-me a uhn ushpital.
Take me to a doctor.	Chame-me a um médico!	shame-me a uhn mediku.